LE
SECRET
DE KUMIKO

À Iman.
A. C.

Qu'as-tu pensé de cette aventure des Kinra Girls ?
Donne ton avis sur http://enquetes.playbac.fr
en saisissant le code 646023
et gagne un livre de la même collection
(si tu fais partie des 20 premières réponses).

Éditions Play Bac, 33, rue du Petit-Musc, 75004 Paris ; www.playbac.fr

LE SECRET DE KUMIKO

MOKA

ILLUSTRATIONS
ANNE CRESCI

playBac

IDALINA

KUMIKO

Kumiko est japonaise. C'est une peintre talentueuse, qui aime aussi la photo et la mode.

Idalina est espagnole. Elle joue de la guitare et c'est une superbe chanteuse de flamenco.

NAÏMA

RAJANI

ALEXA

Naïma est afro-américaine. Son père est américain et sa mère vient d'Afrique. Le cirque est sa passion.

Rajani est indienne. Elle adore danser, surtout les danses traditionnelles de son pays.

Alexa est australienne. Elle monte à cheval et souhaite devenir championne d'équitation.

KUMIKO MATSUDA

NIJIMI MATSUDA
mère de Kumiko

CHOJIRO MATSUDA
père de Kumiko

OSADA
amie de Kumiko

BUKKO
grand-père de Kumiko

NONO
cousine de Kumiko

MIWA
cousine de Kumiko

MAHO
tante de Kumiko

MAÎTRE OSHIMA
professeur de Kumiko

MAÎTRE YOSHIFUMI
professeur de dessin de Kumiko

KANNUSHI RYUUTA
prêtre

**NOUS SOMMES TOUS DIFFÉRENTS,
DONC TOUS EXCEPTIONNELS.**

PROVERBE ARAMÉEN.

Chapitre 1

La fête des Poupées

Nijimi Matsuda fit glisser le panneau de bois et de papier, pour entrer dans la chambre de sa fille.

– Kumiko ! s'exclama-t-elle. Tu n'es pas encore habillée !

– Mais si ! Ah, pardon, j'ai oublié...

Kumiko prit ses mitaines et les enfila.

– Voilà ! Prête !

– Je parlais de ton kimono. Enfile-le tout de suite. Tes cousines Nono et

Miwa ne vont pas tarder à arriver.

– Je suis très bien comme ça ! protesta
Kumiko.

Nijimi croisa les bras et regarda sa fille de
haut en bas. Celle-ci portait une minijupe
noire, des leggings, des mitaines et
un tee-shirt rouge et violet orné
de l'inscription « Tokyo ».

– Ah oui, c'est vraiment parfait !

se moqua Nijimi. Il ne te manque plus
que tes grosses chaussures rouges et un
sac à dos et tu pourras faire l'ascension
du mont Fuji[1] ! Allez, dépêche-toi
de m'enlever tout ça.

– J'ai pas envie ! Cette fête, c'est pour
les bébés ! J'ai passé l'âge, moi !

– Le *Hina-matsuri*[2] est une très jolie
tradition, répondit Nijimi, qui apporte
chance et bonheur dans les maisons.
Nono et Miwa en parlent depuis
des semaines. Tu ne voudrais pas
les décevoir, n'est-ce pas ?

– Elles ont 8 ans, c'est normal ! Bon,
d'accord. Je me change. Mais c'est
seulement pour faire plaisir aux
jumelles. Parce qu'elles sont mignonnes
et que je les aime beaucoup. Pas comme

---

1. *Mont Fuji (aussi appelé Fuji-Yama) : volcan vénéré
par les Japonais. C'est le plus haut sommet du Japon.*
2. Hina-matsuri : *fête des Poupées qui a lieu au Japon
le 3 mars.*

leur mère, je la déteste.

– Kumiko !

– Quoi ? Toi aussi, tu détestes Maho !

Elle est toujours en train de critiquer les autres. Tu paries combien qu'elle va dire quelque chose de désagréable sur ta fête ?

Ou sur moi. Ou sur *oto-san*[3].

En attendant que sa fille ait fini de se déshabiller, Nijimi regardait les dessins punaisés un peu partout sur les murs.

Elle s'intéressa surtout à celui d'un *Oni*, un esprit malfaisant qui apporte les maladies et le malheur. Les *Oni* représentent tout ce qui est méchant et empêche le bonheur des personnes.

– Il y en a un nouveau ! remarqua-t-elle.

C'est un magnifique *Oni* que tu as fait là !

Il est vraiment effrayant !

– C'est le portrait de Maho.

Nijimi resta bouche bée. Puis éclata de rire.

---

3. Oto-san *(en japonais)* : papa, père.

– Oh oui ! On la reconnaît bien avec
ses grosses joues et son double menton !
Elle reprit son sérieux.

– Enfin… hum. Ce n'est pas très gentil.
Tu devrais peut-être le ranger dans
un tiroir.

– Pourquoi ? Je n'ai pas l'intention
d'inviter Maho dans ma chambre.

Nijimi prit le kimono qu'elle avait laissé sur
le lit et aida Kumiko à l'enfiler. Elle croisa
la longue tunique devant. La large ceinture
en soie, le *obi*, mesurait presque 3 mètres.
Nijimi le serra autour de la taille de sa fille
et l'attacha par un énorme nœud dans le dos.
Kumiko mit les *zori*, les sandales en bois
qui ressemblaient à des tongs.

– Il y a un problème avec ta coiffure.
J'ai une idée ! Avec quelques épingles,
je vais te faire deux chignons avec tes
couettes. C'est facile. Une barrette

par-ci, par-là... ça ira. Assieds-toi.
Kumiko soupira, mais obéit. Sa mère
fouilla dans la Boîte à N'importe Quoi à
la recherche des barrettes. Comme son
nom l'indiquait, la Boîte à N'importe Quoi
contenait... n'importe quoi. Kumiko avait
recouvert un coffret au couvercle bombé
d'une mosaïque de morceaux de papiers
colorés : des images de magazines de mode,
des personnages découpés dans un manga,
de vieilles cartes postales... Kumiko avait
beaucoup d'imagination !

– Qu'est-ce que c'est que ça ? demanda
Nijimi.

Du bout des doigts, elle sortit de la boîte
une chose étrange en fausse fourrure rose.

– À mon avis, c'est la queue d'un écureuil
tombée dans un pot de peinture,
répondit Kumiko. Comme il avait
honte, il a préféré se couper la queue.

Il l'a laissée dans la rue et c'est là que
je l'ai découverte.

– Jolie histoire ! Tu ramasses les saletés
par terre, maintenant ?

– Non. C'est une exception. Je ne sais pas
encore ce que je vais faire de la queue.
Je suis sûre que je trouverai, un jour
ou l'autre.

– Je n'en doute pas. Pour ce qui est
de fabriquer des trucs inutiles, tu es
très douée.

– *Okaa-san*[4], je suis une artiste !
Et comme dit mon honorable professeur
de dessin : « L'art ne sert à rien,
c'est pour ça qu'il est indispensable ! »

– Tu l'écoutes trop. Ah ! Voilà ce
que je cherchais !

Nijimi tourna les couettes autour de leurs
élastiques et planta les épingles à cheveux.
Au-dessus des petits chignons, elle glissa

---

4. Okaa-san *(en japonais) : maman, mère.*

deux jolis peignes ornés de pompons roses. Kumiko gagna la salle de bains pour se voir dans le grand miroir. Le kimono rouge imprimé de grosses fleurs de couleurs différentes lui allait parfaitement.

– Alors ? demanda Nijimi. N'es-tu pas absolument ravissante ?

– Oui, c'est pas mal…

Kumiko sourit à son reflet. Les clochettes de l'entrée firent entendre leur jolie musique.

– C'est nous ! crièrent des voix d'enfants.

Les jumelles, Nono et Miwa, enlevèrent leurs chaussures devant la porte avant d'entrer.

– ***Konnichiwa***[5] ! dit Nijimi pour les accueillir. Comme vous êtes belles !

Maho, qui portait un kimono dans le même tissu rose et rouge que celui de ses filles, s'inclina légèrement pour saluer sa

---

5. Konnichiwa *(en japonais) : bonjour*
(mot utilisé seulement l'après-midi).

belle-sœur. Kumiko arriva à cet instant.
Elle fut prise d'une forte envie de s'enfuir
en courant. Elle avait l'impression que l'hiver
venait de pénétrer dans sa maison tant
Maho était glaciale. Elle fit un effort pour
souhaiter le bonjour à sa tante.

– Kumiko, répondit Maho avec une
grimace. On ne garde pas les *zori*
à l'intérieur.

– Oh, s'empressa de dire Nijimi, il faut
que Kumiko, Nono et Miwa gardent
leurs sandales pour la photo ! Venez,
je vais vous photographier dans le
jardin. Dommage qu'il n'y ait pas encore
beaucoup de fleurs sur le cerisier.

Les trois enfants sortirent et s'amusèrent
à poser pour Nijimi. En haut des marches,
Maho attendait, l'air exaspéré.

– Où sont les poupées ? demanda Nono.
On veut voir les poupées !

– Est-ce qu'il y a des gâteaux ? ajouta
sa sœur.

– Miwa ! gronda Maho. C'est très impoli !
Miwa baissa les yeux.

– Pardon.
Kumiko se pencha vers elle pour murmurer :

– Oui, il y en a…
Même avec ses propres filles, Maho était
méchante.

Chaque année, le 3 mars, dans toutes les
maisons japonaises, on fête le *Hina-matsuri*,
la fête des Poupées. C'est surtout le jour
où les petites filles sont à l'honneur. On
les traite comme des princesses. Souvent,
on leur offre des cadeaux. Mais le plus
important, bien sûr, ce sont les poupées,
qui se transmettent de génération
en génération.
Nono et Miwa admiraient les merveilleuses

poupées de leur tante. Nijimi les avait
héritées de son arrière-grand-mère.
Elles étaient d'une rare beauté
et valaient une fortune.
Sur un petit escalier recouvert
d'un tissu rouge, les poupées

étaient disposées
dans un ordre précis.

En haut, l'empereur et l'impératrice étaient assis sur des lits. L'impératrice portait une somptueuse robe rouge et tenait un éventail ouvert. L'empereur était habillé de noir, d'or et d'argent. Sa coiffure était amusante avec son très haut chapeau noir. Sur les autres étages, on trouvait les dames de cour, les servantes, les musiciens, les deux ministres et un samouraï – un guerrier japonais.

Et enfin, des charrettes avec des bœufs et des chevaux. Sur chaque étage, divers objets étaient exposés : des lampions, des coffres, des tables, des arbres, un service à thé...

Nijimi avait par ailleurs suspendu une guirlande d'oiseaux en papier – des grues – au-dessus de l'escalier. Elle avait aussi ajouté des renards jaunes en papier. Nijimi avait une passion pour l'*origami,* l'art japonais du papier plié. Elle était capable de fabriquer toutes sortes d'animaux avec une simple

feuille. Les renards avaient sa préférence.
Il y en avait partout dans la maison.

– C'est trop beau… murmura Nono,
les mains croisées sur sa poitrine.
Miwa vérifia que sa mère était toujours
à la cuisine avec Nijimi avant de dire :

– Je voudrais avoir les mêmes.
Chez nous, on n'a que cinq poupées
et elles sont moches.

– C'est vous, les plus jolies poupées !
répondit Kumiko.
Des sourires illuminèrent les visages des
jumelles. Maho et Nijimi réapparurent avec
des plateaux. Elles les posèrent sur la table
basse. Il y avait des gâteaux, des biscuits
apéritif et du jus de pêche. Dans un flacon
de porcelaine bleue, il y avait de l'alcool
de riz sucré.

– Avant de manger, dit Nijimi,
je voudrais vous rappeler ce que signifie

le *Hina-matsuri*. Il y a longtemps, très
longtemps, les filles des gens de la cour
de l'empereur offraient des poupées aux
princesses. Ces poupées n'étaient pas
des jouets. Elles étaient destinées à être
malades à la place des personnes qu'elles
représentaient. Grâce à elles, notre foyer
est protégé du mauvais sort. Elles nous
apportent bonne fortune et bonheur.
Remercions-les !

Nijimi s'inclina devant les poupées. Maho
et les enfants l'imitèrent.

— Et maintenant, on mange ! dit gaiement
Nono.

— Et après, on joue ! s'écria Miwa.

Un peu par provocation, Kumiko versa
de l'alcool de riz dans une tasse.

Maho la regarda, puis regarda Nijimi.

— Tu laisses ta fille boire de l'alcool ?

— C'est à peine alcoolisé, rétorqua

Nijimi. Et puis, c'est la tradition.

— Toutes les traditions ne sont pas bonnes.

— Ah oui ? fit Kumiko. Lesquelles ?

Maho ne trouva rien à répondre. Nijimi se tourna vers elle et se retint de rire. À ce moment-là, sa belle-sœur ressemblait au dessin de Kumiko. Un horrible *Oni* avec un double menton !

– Bien, dit Nijimi. Nous vous laissons entre vous. Si vous avez besoin de quelque chose, appelez-nous.

Kumiko et les jumelles passèrent un très bon après-midi à jouer devant les poupées. Il suffisait que Maho s'en aille pour que la joie revienne !

Chapitre 2

Le papa de Kumiko

L e réveil sonna. Kumiko grogna.
Encore se lever tôt pour aller à l'école !
Heureusement, c'était bientôt
la fin de l'année scolaire qui, au Japon,
commençait en avril. Les vacances étaient
proches. Kumiko avait une longue journée
devant elle. Elle sortait à 15 h 30 de l'école,
puis se rendait à son cours de dessin.
Elle bâilla et se rendormit jusqu'à ce que
son père, Chojiro, vienne la chercher.

Il lui secoua l'épaule.

– *Ohayo*[6], papa ! dit Kumiko en s'étirant.

– Je suis venu te rappeler que nous avons rendez-vous avec *Sensei*[7] Yoshifumi ce soir, ton professeur de dessin.

– Ah oui, c'est vrai. Tu ne sais toujours pas pourquoi ?

– Il m'a seulement demandé de passer parce qu'il avait quelque chose d'important à voir avec moi. J'espère que tu n'as pas fait de bêtises !

– Bien sûr que non ! protesta Kumiko. J'adore *Sensei* Yoshifumi et j'adore apprendre avec lui ! C'est le meilleur professeur de dessin du monde !

– Allez, lève-toi. Si tu te dépêches, j'aurai le temps de t'accompagner un bout de chemin. Je prendrai le métro plus loin. Un peu d'exercice

---

6. Ohayo *(en japonais)* : bonjour *(mot utilisé seulement le matin)*.
7. Sensei *(en japonais)* : maître.

me fera le plus grand bien.

Kumiko sauta hors de son lit. Marcher
le matin en compagnie de son père dans
les petites rues de Kyoto était l'un de ses
moments de bonheur.

– Trois minutes pour enfiler mon
uniforme et cinq pour avaler mon thé
et mes tartines de confiture, et je suis
prête à partir !

– Et pour te laver les dents ?

– Vingt secondes. Bon, dix minutes
avec la douche ! Mais promis, je suis
sous la véranda à 8 heures pile !

Kumiko tint parole. Elle enfilait ses
chaussures vernies noires quand son père
apparut avec son parapluie.

– Tu devrais prendre ton imperméable,
conseilla-t-il.

Kumiko regarda le ciel gris.

– Ça va. J'ai mon chapeau.

— Il est en toile ! Et franchement, il ne fait pas très chaud. Tu risques de prendre froid.

— Ce n'est pas ma faute si l'uniforme de l'école est si léger ! répondit Kumiko. Vivement que je quitte l'école élémentaire ! J'en ai marre de ces vêtements de bébé.

Son uniforme consistait en une espèce de robe bleue, droite et sans manches. On la portait avec une chemise blanche à manches courtes, une ceinture, des chaussettes et les fameux souliers vernis. Un petit chapeau

rond et bleu complétait la tenue. Chojiro
insista pour que sa fille prenne sa veste
imperméable. Kumiko accepta parce qu'elle
ne voulait pas perdre du temps bêtement
à discuter.

Ils traversèrent leur minuscule jardin.
Chojiro ouvrit le portail et ils se retrouvèrent
dans la ruelle. Le père de Kumiko possédait
une usine qui fabriquait des éléments
électroniques utilisés dans les ordinateurs.
Il aurait pu s'acheter l'une de ces belles
maisons dans la partie moderne de la
ville. Mais Chojiro Matsuda aimait le vieux
quartier de Gion, ses rues étroites et ses
maisons en bois. Même si les boutiques de
souvenirs pour les touristes ne lui plaisaient
pas trop… Hélas, bien vite, ils arrivèrent
dans les grandes rues déjà encombrées de
voitures. Chojiro s'immobilisa sur le pont
qui enjambait le fleuve Kamo.

– Pourquoi tu t'arrêtes toujours ici ?
demanda Kumiko.

– Je pense aux rivières qui se jettent
dans la mer.

– Et alors ?

Chojiro soupira.

– J'aurais voulu être peintre et vivre au
bord de la mer ! Et voir, chaque jour, la
lumière jouer sur l'eau… et les bateaux
disparaître à l'horizon. Sentir le vent
sur mon visage et le sel sur mes lèvres…
Et puis, voilà. J'ai repris l'usine. Je n'ai
pas eu le choix.

Kumiko le regarda avec étonnement.
C'était la première fois qu'elle l'entendait
parler ainsi.

– Pourquoi tu continues si tu détestes
ton travail ?

– Je ne le déteste pas. J'ai commencé
à travailler avec ton grand-père dans

l'usine qu'il avait créée. À l'époque, on fabriquait encore des circuits électriques pour les téléviseurs et les radios. Ton grand-père est très intelligent. Quand il a vu les premiers ordinateurs en vente dans les magasins spécialisés, il a tout de suite compris qu'ils allaient changer le monde. Alors il a transformé l'usine. Je suis fier de ce que nous avons réussi à accomplir. Ce que je regrette, c'est de ne pas avoir eu le courage de suivre mon cœur. Je suis un bon fils et j'ai obéi à la volonté de mes parents.

Chojiro posa la main sur l'épaule de Kumiko.

– Mais je te jure que toi, tu feras ce que tu désires ! Et tant pis si toute ma famille et toute celle de Nijimi ne sont pas d'accord !

– C'est que… je ne sais pas ce que je veux, moi ! Le lundi, je voudrais être peintre. Et le mardi, il n'y a que la mode qui m'intéresse ! Le jeudi, je me passionne pour les films d'animation. Le vendredi, rien ne me paraît plus beau que la calligraphie[8]... et le samedi, je passe trois heures dans le jardin à photographier des cailloux !

– Et à aucun moment de la semaine, tu ne rêves de diriger une usine d'électronique ! répondit Chojiro en riant. Tu as l'âme d'une artiste. Comme moi... La différence, c'est que tu n'en as pas que l'âme, tu en as aussi le talent, ce que je n'ai pas.

Kumiko eut une soudaine envie de pleurer.

---

8. *Calligraphie : art de former les lettres avec élégance. Au Japon, la calligraphie existe depuis plusieurs siècles.*

Chapitre 3

Une maison hantée dans l'école

On était sûr qu'aucun élève ne manquait à l'appel pendant le festival culturel ! Le ***Bunkasai*** existe dans toutes les écoles du Japon. C'est une sorte de grande kermesse. L'école de Kumiko recevrait des invités dans l'après-midi. Les membres du club théâtre joueraient une pièce. Le club musique donnerait un concert le jour

suivant. Dans une classe, on avait installé
un café. Les élèves avaient prévu de faire le
service, déguisés en revenants – en zombies.
Dans la salle d'à côté, celle des « petits »,
on avait monté une boutique d'animaux
en peluche.

> – *Ohayo*, Oshima-*san*, dit Kumiko
> en s'inclinant.

> – *Ohayo*, répondit Oshima, son
> professeur. Entrez vite, les enfants.
> Il ne nous reste que cette matinée
> pour terminer notre décor !

Dans la classe de Kumiko, il y avait une
maison hantée... Au plafond, on avait
suspendu quelques squelettes et des
personnages effrayants en papier mâché.
On reconnaissait le géant à trois yeux et le
nain à un œil, des *Oni* avec trois doigts et
trois orteils, et d'autres diables à cornes.
Kumiko et ses camarades devaient encore

44

finir la fresque qui couvrait les murs.
Ils peignaient des *tengu*, des monstres
mi-hommes, mi-oiseaux. On les représentait
avec des chapeaux noirs et de grandes capes
de plumes et de feuilles. Les *tengu* habitaient
dans les montagnes et vivaient dans les
arbres. Ils n'étaient pas trop méchants.
Ils aimaient surtout jouer de vilains tours
aux humains.

Kumiko et son amie Osada allaient ensemble
au cours de dessin. Elles s'étaient mises
d'accord pour peindre une scène à côté
du tableau blanc.

Oshima admira leur peinture.

– Votre décor est magnifique. J'aime

cette rivière où l'on voit les carpes nager.

– Vous avez remarqué la grenouille qui bâille, maître ? demanda Osada. C'est une idée de Kumiko. Ça me fait trop rire !

– En effet, c'est très amusant. Puisque vous avez terminé ici, pourriez-vous aider les autres ? Ils ont pris du retard.

Kumiko et Osada s'empressèrent de déplacer leurs boîtes de peinture et leurs pinceaux.

Les bureaux et les chaises avaient été entreposés dans le couloir pour faire de la place. Maître Oshima et un groupe d'élèves montèrent la grande tente noire. C'était la maison hantée. Sur la toile, à l'extérieur, on colla les dessins préparés à l'avance. Dans la tente, les élèves s'amusaient à accrocher des guirlandes d'araignées en plastique. Maître Oshima brancha des spots de couleurs différentes qui clignotaient très vite.

Ils éclairaient des silhouettes menaçantes
en carton découpé. Le résultat était tout
à fait effrayant !

Oshima vérifia l'heure sur la pendule. Il tapa
dans ses mains. Aussitôt tous les enfants se
tournèrent vers lui.

— Je crois que nous sommes prêts.

Je propose que nous prenions notre
déjeuner maintenant.

Il n'y avait pas de cantine dans l'école de
Kumiko. Dans l'ordre et le calme, les élèves
récupérèrent leur *bento* dans les casiers.
Le *bento* est un repas préparé à la maison

le matin pour être mangé à l'heure du
déjeuner lorsqu'on est à l'extérieur.

Il est transporté dans une boîte à
compartiments. Kumiko s'agenouilla
par terre et s'assit sur ses talons. Elle
ouvrit sa boîte. Dans le premier étage,
il y avait quelques légumes cuits à la vapeur
dans un compartiment et, dans l'autre,
des boulettes de riz avec des morceaux
de poisson. Dans le second étage, Nijimi
avait mis une prune au vinaigre dans une
boule de riz. Une brique de jus de pêche
accompagnait le *bento*.

Osada buvait du soda et mangeait du poulet
froid avec du ketchup. Sa mère trouvait
la cuisine européenne ou américaine
tellement mieux que la cuisine japonaise !

Maître Oshima regarda le paysage peint par
les deux amies. Il était facile de voir qui avait

fait quoi. Osada s'était contentée de dessiner
le mont Fuji dans le lointain. Un triangle
brun avec un peu de blanc en haut pour
la neige. Derrière les *tengu*, elle avait ajouté
quelques arbres sans feuilles.

Mais quelle différence avec le dessin de
Kumiko ! On pouvait presque sentir le vent
glacial balayer les flancs bleus et verdâtres
des montagnes. Les sommets apparaissaient
à peine dans les nuages gris bordés d'orange
et de noir, signe que la tempête, là-haut,
allait éclater. Les troncs des pins étaient
tordus, penchés, comme si le vent soufflait
toujours dans la même direction depuis
des années. Maître Oshima s'approcha.
Dans l'un des pins, un tout petit *tengu*
s'accrochait aux branches. La peinture
de Kumiko racontait une histoire, celle
d'un pays froid et inquiétant, peuplé
de créatures fantastiques.

« Incroyable, j'ai l'impression d'y être ! pensa le professeur. Et elle n'a eu qu'une heure pour faire ça ! »

— Maître ! appela l'un des élèves. Ça y est, les portes de l'école sont ouvertes, nos invités arrivent ! Oh ! Il y a plein de monde déjà !

— C'est normal, nous recevons deux classes de l'école d'à côté aujourd'hui. Rangez vos *bento* dans les casiers.

Et place au *Bunkasai* !

Chapitre 4
Maître Yoshifumi

Kumiko et son amie Osada quittèrent l'école ensemble pour se rendre à leur cours de dessin privé. En route, Osada s'arrêta dans une épicerie pour acheter un pot de glace crémeuse. Elles s'assirent sur un banc car, au Japon, il n'est pas poli de manger en marchant dans la rue.

— Je le crois pas que tu aies encore faim après tout ce que tu as avalé au café des zombies ! s'exclama Kumiko.

– C'était bien, cette journée. J'ai beaucoup ri. Surtout lorsque mon cousin est entré dans notre maison hantée et s'est mis à hurler quand sa tête a touché la guirlande d'araignées !

– Tu n'es pas gentille ! Le pauvre !

– Mais non ! Après, il ne voulait plus partir ! Il jouait à se faire peur sous la tente ! Et toi, qu'est-ce que tu as préféré ?

– Les zombies. Leurs déguisements étaient très réussis. La pièce du club théâtre n'était pas mal non plus.

– Emori a oublié la moitié de son texte. Il a de la chance d'être adorable. On lui pardonne tout !

— Dépêche-toi de finir ta glace. *Sensei* Yoshifumi, notre maître, n'aime pas qu'on soit en retard.

— On est juste à l'heure, répondit Osada en jetant le pot dans une poubelle.

La maison de Yoshifumi se trouvait au fond d'une impasse. Il n'y avait aucune fleur dans son jardin, rien que du sable et des pierres. Tous les matins, avec son râteau, Yoshifumi traçait de nouvelles lignes et courbes dans le sable. « Le ciel change sans cesse, disait-il, pourquoi mon jardin resterait-il toujours le même ? » Il y avait une surprise dans ce lieu : une fontaine. Un jet d'eau, pas plus important que celui d'un robinet, coulait sur une tige de bambou. En se remplissant, le bambou basculait et frappait une pierre noire. Clac ! Le bruit sec brisait soudain le silence. Une fois vide, le bambou basculait dans l'autre sens.

Les filles enlevèrent leurs chaussures et les laissèrent dehors. Kumiko fit coulisser la cloison de bois et de papier, et elles entrèrent. Les trois autres élèves de Yoshifumi, des garçons, étaient déjà là.

— *Konnichiwa*, maître, dirent-elles en s'inclinant.

– *Konnichiwa*. Installez-vous.

Osada et Kumiko s'agenouillèrent sur
le *tatami*, le tapis de paille de riz tressée.
Leur table de travail était au ras du sol.
Maître Yoshifumi était mince et plutôt grand
pour un Japonais. Personne n'aurait pu
deviner son âge. Son visage souriant et ses
yeux vifs étaient ceux d'un jeune homme.
Sa sagesse et sa générosité, celles d'un
bon vieillard.

– Cette année, vous avez beaucoup travaillé. Je vous ai obligés à faire de nombreux exercices, comme on apprend le vocabulaire et la grammaire à l'école. C'est parfois ennuyeux, c'est souvent difficile mais, grâce à tous ces exercices, votre pinceau n'est plus un instrument, c'est une partie de votre main. C'est avec votre âme que vous devez peindre. Sinon le trait… n'est qu'un trait.

Comme à son habitude, Maître Yoshifumi s'arrêta de parler pour que ses élèves aient le temps de réfléchir à ses paroles. Dehors, la tige de bambou frappa la pierre. Clac !

– Quand je regarde l'œuvre d'un grand artiste, reprit Yoshifumi, ma gorge se serre, j'ai envie de pleurer, et me voilà muet, saisi par l'émotion. Je vous demande cette émotion. Oui, je sais. Vous pensez que vous n'en êtes pas capables.

Moi, je crois en vous. C'est dans votre cœur que se trouve la réussite.

Timidement, l'un des garçons leva le doigt.

– **Sensei**, que devons-nous peindre ?

– Je ne vous donne pas de sujet, mais un poème de Sen no Rikyu. Prenez-y ce qui vous plaît. Un mot, une idée, une image qui vous vient en le lisant. Vous avez une heure et demie.

Yoshifumi posa un carton sur une chaise. Kumiko lut le poème à mi-voix :

Les feuilles de chêne

Rougies de l'automne

Tombent, sont entassées sur le sentier

D'un vieux temple montagnard.

Comme ce chemin est solitaire !

Osada fit la grimace. Qu'allait-elle pouvoir imaginer avec ça ? Les élèves ouvrirent leurs boîtes d'aquarelle. Kumiko mouilla son éponge et la passa sur le papier trop blanc à son goût. Avec un gros pinceau trempé dans la terre de Sienne dont elle aimait la couleur entre le jaune foncé et le brun clair, elle balaya toute la feuille. Ses camarades étaient déjà en train de peindre. Maître Yoshifumi s'assit sur ses talons. Il observa Kumiko. Les deux mains à plat sur ses genoux, les yeux fermés, elle attendait que le papier sèche. Puis elle se mit au travail.

Clac ! fit le bambou sur la pierre.

Maître Yoshifumi se leva pour attirer l'attention de ses élèves. Kumiko sursauta. Elle n'avait pas vu le temps passer.

> – C'est parfait, dit le maître. Je vois que vous avez tous fini. Maintenant, je voudrais que, l'un après l'autre, vous montriez votre travail. Genjuro, souhaites-tu commencer ?

Genjuro était le plus âgé du groupe. Il étudiait avec Yoshifumi depuis trois ans.

– J'ai dessiné un oiseau sur une branche, *Sensei*. J'ai choisi de n'utiliser que de l'encre noire avec juste quelques taches rouges. Du poème, j'ai pris l'idée de l'automne et de la solitude. Mon oiseau a l'air triste. Enfin… j'espère !

– Je ressens cette tristesse. Le trait est précis et habile. C'est excellent, bravo.

Les deux autres garçons et Osada avaient peint des paysages. Yoshifumi leur fit des compliments.

Osada eut l'air étonné en voyant le dessin de Kumiko.

– Pour moi, expliqua Kumiko, s'il y a un temple, il y a des gens qui vont y prier. Mon personnage est vieux, alors il est fatigué. Il se repose en chemin. Je pense qu'il n'est pas heureux d'être aussi seul.

Yoshifumi resta muet. Kumiko se sentait de plus en plus nerveuse. Ses camarades regardaient leur professeur, mal à l'aise.

Pourquoi ne parlait-il pas ?

À la fin d'un long, très long silence,

Maître Yoshifumi dit :

> – Ma gorge se serre et j'ai envie
> de pleurer.

Chapitre 5

L'idée de Yoshifumi

L e père de Kumiko pressa le pas.
Il avait peur d'être en retard au
rendez-vous. Il fut rassuré en
croisant Osada dans le jardin. Le cours de
dessin donné par Maître Yoshifumi venait
de se terminer. Chojiro se déchaussa et
entra dans la maison. Il salua le professeur.

— Merci d'être venu, Matsuda-*san*, dit
Maître Yoshifumi. Je souhaitais avoir
une petite conversation avec vous,

et Kumiko, bien sûr. Je vous en prie.
Asseyez-vous.

Chojiro s'agenouilla sur le *tatami*. Yoshifumi
lui proposa une tasse de thé et disparut dans
sa cuisine. Kumiko bouillait d'impatience,
ce qui n'était pas le cas de l'eau dans la
bouilloire qui n'en finissait pas de chauffer.
Maître Yoshifumi réapparut avec un plateau.
Il posa son ravissant service à thé,

de la porcelaine blanc et bleu d'une finesse
telle qu'elle en était transparente.

– Merci, maître, dit Chojiro en prenant
la tasse.

Yoshifumi s'installa près de lui.

– Avez-vous vu la peinture que Kumiko
a faite aujourd'hui ?

– Oui, elle me l'a montrée pendant votre
absence. Je la trouve très belle. Mais c'est
normal, je suis son père !

– Elle est plus que belle. Elle a une âme.

Chojiro sentit sa poitrine se gonfler de fierté.

– J'enseigne depuis bientôt trente ans,
continua Yoshifumi. J'ai eu
la chance de former
de grands artistes.
Certains sont
devenus

célèbres. Oui, j'ai eu beaucoup de joies
dans ma vie… Mais c'est la première
fois, oui, la première fois, que je sais
que je dois laisser la place à un
autre maître.

– Je ne comprends pas, répondit Chojiro.

– Kumiko mérite le meilleur. Et ce n'est
pas moi.

– Je veux pas changer de professeur, moi !
s'écria Kumiko. Pardon, *Sensei*.

– Tu as le droit à la parole, sourit Maître
Yoshifumi.

– Et… vous avez pensé à quelqu'un en
particulier ? demanda Chojiro.

– Oui. À Maître Wang. Il est chinois.
C'est un dieu vivant dans son pays ! J'ai eu
l'immense honneur d'étudier avec lui.

– Heu… Vous me suggérez d'envoyer
Kumiko en Chine ?

– En Europe, dit Yoshifumi. Maître Wang

est l'un des enseignants de l'Académie
Bergström.

– Oui, je connais. Cette école accueille
des enfants du monde entier.

– En effet. Des enfants au talent
exceptionnel.

– C'est presque impossible d'y entrer !
remarqua Chojiro. Il y a des milliers
de candidats et ils n'en prennent que
soixante chaque année ! Du coup, je n'ai
pas rempli le dossier d'inscription...

Kumiko se tourna vers son père.

– Comment ça, *oto-san* ?

– J'avais déjà fait quelques recherches
pour te trouver un bon collège, avoua
Chojiro. Il est évident qu'il n'y a pas
mieux que l'Académie Bergström.

– J'espère que vous ne m'en voudrez
pas d'avoir contacté Maître Wang.
Je photographie toujours les œuvres

de mes élèves. Petite manie d'un vieux professeur… Je me suis permis d'envoyer les photos que j'ai prises des peintures de Kumiko à Maître Wang pour qu'il me donne son avis.

Maître Yoshifumi se leva et se dirigea vers un petit meuble à tiroirs. Il prit une enveloppe brune qu'il tendit à Chojiro. Il l'invita à l'ouvrir.

– Mais… c'est le dossier d'inscription, s'étonna Chojiro.

– C'est la réponse de Maître Wang. Kumiko est acceptée à l'Académie

Bergström. La décision, maintenant,
vous appartient à vous, le père
de Kumiko, Matsuda-*san*.

Chojiro cligna les paupières. Il n'osait pas
croire ce qu'il venait d'entendre. Quant à
Kumiko, elle ne savait pas quoi penser.
Partir loin de chez elle ? Dans un pays
inconnu ? C'était excitant et terrifiant aussi.
Chojiro se racla la gorge.

– Je dois en discuter avec ma femme.
Je vous remercie infiniment, *Sensei*.

– C'est bien peu. Et je vous assure que
Maître Wang n'accepterait jamais
Kumiko comme élève seulement
pour m'être agréable. C'est un homme
honnête et digne de confiance.

Yoshifumi regarda attentivement Kumiko.

– Que ressens-tu quand tu peins ?

Kumiko réfléchit un moment.

– C'est bizarre, mais je ne vois pas

comment je pourrais expliquer avec des mots.

– Tu viens de le faire, pourtant. C'est exactement ça. Il n'y a pas de mots. Tu as un talent rare. La peinture est une partie de toi. Travaille dur pour t'améliorer et de grands bonheurs t'attendront au bout du chemin. Si tu l'oublies, la peinture laissera un vide dans ton cœur.

– Oui, *Sensei*. J'ai compris. Je vous promets de beaucoup travailler.

Maître Yoshifumi hocha la tête et sourit.

Chapitre 6
Une bonne surprise

La mère de Kumiko était en train de faire de l'*origami*. Elle pliait et repliait un papier jaune avec une habileté étonnante. Elle posa le pliage obtenu sur la table basse devant elle.

– Encore un renard ! s'exclama Kumiko. Tu m'avais promis un lapin !

– J'aime les renards, ils sont les messagers du dieu Inari. Dans notre famille, nous devons beaucoup à Inari. Il nous a apporté la bonne fortune.

Inari, le dieu du riz et de l'abondance, était d'abord le protecteur des marchands et des cultivateurs. Inari était respecté et honoré par tout le monde car il apportait la richesse et le succès dans les affaires. Il faisait partie du monde des *Kami*, les esprits et les dieux du shinto, la principale religion du Japon. Les *Kami* étaient partout. Il y avait des *Kami* pour les arbres, les rochers ou les rivières. Pour chaque chose, en vérité.

– Tiens, voilà ton lapin !

Il n'avait fallu à Nijimi qu'une minute pour faire apparaître l'animal avec une simple

feuille. Kumiko se leva pour regarder
dans le jardin.

– Il est trop tôt, ton père ne va pas arriver
tout de suite, remarqua Nijimi.

Kumiko soupira et retourna auprès
de sa mère.

– Je n'en peux plus d'attendre ! À ton avis,
tu crois que grand-père sera d'accord
pour que j'aille à l'Académie Bergström ?

Nijimi haussa les épaules. Elle ne savait pas
comment allait réagir Bukko, le père
de Chojiro.

– Et s'il ne veut pas ? s'inquiéta Kumiko.

– Occupe-toi les mains en attendant ton
père, ça t'empêchera de tourner en rond.
Tu as pris ton matériel de calligraphie,
c'est pour t'en servir !

Kumiko ouvrit son coffret et en sortit les
pinceaux et le flacon d'encre noire. Tenant
son pinceau bien droit, elle le trempa dans

l'encre et traça rapidement quelques traits.
Nijimi sourit. Kumiko avait écrit « *kitsune* »,
ce qui signifie « renard ».

   – Et toi, que penses-tu de tout ça? demanda soudain Kumiko. Tu n'as presque rien dit.

   – Maître Yoshifumi s'est donné du mal pour que tu sois acceptée dans cette école. Si ton père est convaincu que c'est bien pour toi, alors tu partiras. Je serai triste parce que tu ne seras plus avec moi. Et je serai heureuse si tu l'es aussi.

   – J'ai vraiment envie d'aller à l'Académie.

   – Oui, j'avais compris ! répondit Nijimi en riant. Tiens, il me semble entendre la grille...

Kumiko posa son pinceau dans le coffret et se précipita pour ouvrir le panneau de bois.

   – Alors? cria-t-elle. Qu'est-ce que... oh.

Elle s'interrompit en voyant l'expression du visage de son père.

— Bukko a dit « non », c'est ça ? supposa Nijimi.

Chojiro enleva ses chaussures et entra.

— C'est ça. Les filles ne quittent pas leur famille.

— Bukko ne voit pas que le Japon change. Pour lui, les femmes doivent rester à la maison et s'occuper de leur mari et de leurs enfants. C'est ce que je fais. Mais je l'ai choisi. Personne n'a décidé à ma place !

— Tu m'as juré que je ferai ce qui me plaît, *oto-san* ! s'écria Kumiko.

— Je n'ai qu'une parole. D'ailleurs, j'ai posté ton dossier d'inscription en sortant de l'usine !

Kumiko frappa dans ses mains en sautant.

— Oh merci ! Merci ! Merci, *oto-san* !

Nijimi regarda le renard en papier.
Discrètement, elle s'inclina devant lui.
« Merci beaucoup, Renard. »

– On n'a pas fini d'en entendre parler, remarqua Chojiro.

– J'imagine déjà les commentaires de ma belle-sœur ! plaisanta Nijimi.

– Au moins, toi, ça t'amuse, répondit Chojiro.

Nijimi reprit son sérieux.

– Je sais à quel point c'est difficile de s'opposer à Bukko. Et je t'admire pour avoir eu le courage de le faire. Eh bien, ça prouve que je ne me suis pas trompée en t'épousant ! Tu es le meilleur des hommes.

Kumiko mit ses bras autour de la taille de son père et posa la tête contre sa poitrine.

— Et le meilleur des papas !

Chojiro sourit et caressa les cheveux de sa fille.

Chapitre 7

Une autre surprise...

Kumiko attendait les jumelles, Nono et Miwa. Maho, leur mère, avait pour habitude de les laisser à la garde de Nijimi le samedi après-midi. Elle en profitait pour se rendre au centre culturel pour suivre un cours d'*ikebana*, l'art japonais de l'arrangement des fleurs.

Pour passer le temps, Kumiko se distrayait en faisant de la couture. Elle avait récupéré des morceaux de tissu multicolores qu'elle

avait cousus ensemble avec un gros fil.
Elle en avait fait une espèce de poche
qu'elle avait bourrée de restes de pelotes
de laine. Elle avait obtenu une grosse boule
sur laquelle elle avait cousu une paire de
grandes oreilles, quatre pattes de tailles
et de couleurs différentes, et un bouton.

– Il manque quelque chose…
murmura-t-elle.

Elle ouvrit la Boîte à N'importe Quoi et
fouilla dedans.

– Oui ! s'exclama-t-elle. C'est ça qu'il
me faut ! Une queue !

Elle sortit l'objet en fausse
fourrure rose qu'elle avait
ramassé dans la rue. Elle
l'attacha à sa boule.

– J'adore ! C'est…
C'est… Ben, c'est rien.
Voilà. C'est Doudou Rien !

Très contente d'elle, Kumiko posa Doudou
Rien sur son lit. Elle regarda l'heure.
Elle sourit quand retentit « Bonjour ! ».
Ses petites cousines venaient d'arriver.
Kumiko sortit de sa chambre. Maho portait
l'un des nombreux kimonos qu'elle possédait.
Certains de ses vêtements valaient
une fortune. Quand elle
allait au centre culturel,
elle mettait toujours un
kimono en soie. C'était
une façon de montrer
qu'elle appartenait à
une famille riche.
Nijimi trouvait son
comportement très
impoli. C'était comme
si elle disait aux autres
femmes qu'elle valait
mieux qu'elles !

– Ça devient impossible de se garer dans votre quartier ! râla Maho. Avec ces cars de touristes qui s'arrêtent partout ! Pourquoi Chojiro tient-il tellement à vivre ici ? Ça me dépasse !

– Nous aimons notre maison. Et il est très agréable d'être si près des temples. Je peux me promener dans les jardins quand j'en ai envie.

– Oui, enfin… Si ça te plaît. Ah, Kumiko…

Kumiko s'inclina devant sa tante et lui souhaita le bonjour. Nono et Miwa demandèrent la permission de boire un verre d'eau et disparurent dans la cuisine. Nijimi, qui connaissait bien sa belle-sœur, sentit venir le moment où celle-ci s'apprêtait à être désagréable.

– Tu vas être en retard à ton cours, lui dit-elle.

– Oh, j'ai un peu de temps… Tu devrais

m'accompagner avec Kumiko un de ces jours. Les activités du centre sont très intéressantes. Toutes les jeunes filles japonaises se doivent d'apprendre les arts traditionnels.

– C'est ce que je fais, rétorqua Kumiko. J'étudie la calligraphie et la peinture !

Nijimi ne s'était pas trompée : Maho avait tendu un piège à Kumiko.

– Ah oui, la peinture ! Parlons-en. Bukko, que j'ai vu hier, nous étions invités à dîner, j'ai d'ailleurs été surprise de ne pas vous y voir... mais, évidemment, c'est assez normal que vous ne soyez pas les bienvenus... Bukko est extrêmement déçu par Chojiro. Un bon fils obéit à son père. Et je suis choquée à l'idée que vous cédiez ainsi au caprice de Kumiko. Partir à l'autre bout du monde ! À son âge ! Qu'est-ce que ce sera, la prochaine fois ?

– Un bateau, répondit Kumiko. Je veux un bateau et un chien.

Il fallut plusieurs secondes à Maho avant de se rendre compte que sa nièce se moquait d'elle. Le rouge lui monta aux joues.

– C'est à nous de décider ce qui est bon ou non pour notre fille, dit Nijimi. Je ne te donne pas de conseils sur l'éducation de tes enfants, moi.

– Parce que je n'ai pas de conseils à recevoir ! Mes enfants sont bien élevées.

Maho agita fièrement ses doubles mentons et partit pour son centre culturel.

Nono et Miwa profitèrent de l'absence de leur mère pour regarder les dessins animés à la télévision. Nono était passionnée par l'histoire, mais Miwa semblait distraite.

Elle se retournait souvent vers Kumiko qui feuilletait un magazine de mode. À force de gigoter, Miwa renversa son jus de pêche.

– Ah ! Aïe, aïe, aïe ! cria-t-elle. J'en ai
plein sur les genoux !

Kumiko se précipita à son secours.

– Je vais me faire disputer ! pleurnicha
Miwa.

– Mais non, la rassura Kumiko. Tu n'en
as pas mis sur ta jupe. Ne bouge pas,
je t'enlève tes chaussettes, le jus risque
de couler dessus quand tu seras debout.
Voilà… Viens dans la salle de bains,
tu es toute collante !

Miwa renifla et suivit sa cousine. Kumiko
passa la grosse éponge douce sur les mains
et les jambes de la petite fille.

– Merci… C'est vrai que tu pars loin ?

– Oui. Mais pas tout de suite ! Et puis,
je reviendrai pendant les vacances.

– Tu vas me manquer. Maman, elle dit
qu'on te laisse faire tout ce que tu veux.

– Ouais, bah, ta mère ne sait pas de quoi

elle parle. Ce n'est pas pour m'amuser
que je quitte la maison. C'est pour
travailler.

– Maman, elle dit aussi que tes parents
te gâtent trop. Et que c'est pas bien, mais
que c'est toujours comme ça avec les
enfants adoptés.

Kumiko cligna les paupières.

— C'est vrai que t'es adoptée ? demanda
Miwa.

Kumiko prit la serviette pour essuyer
les jambes de sa cousine.

— Bien sûr que non ! Tu as sûrement
mal compris.

Nono apparut pour prévenir que les dessins
animés étaient finis. Nijimi appela les
jumelles et leur proposa d'apprendre à plier
du papier. Les deux petites filles, main dans
la main, sautillèrent vers le salon.

Kumiko contempla son visage dans le miroir.
Elle ressemblait à Nijimi trait pour trait !
Évidemment que Miwa avait compris
de travers !

Pourtant, Kumiko se réfugia dans sa
chambre et resta assise sur son lit, immobile,
Doudou Rien serré contre son cœur.

Chapitre 8
Don du ciel

Nijimi appela sa fille pour le dîner. Kumiko embrassa Doudou Rien et le coucha sur son lit. Avant de sortir de sa chambre, elle fouilla dans sa trousse de couture. Elle prit quelques épingles et les planta rageusement dans le portrait de Maho qu'elle avait dessinée en esprit malfaisant, en *Oni*.

Nijimi posa le plateau en bois laqué sur la table. Au Japon, on sert tous les plats

en même temps. On ne boit ni eau ni vin
pendant le repas, mais de la soupe claire.

– *Itadakimasu*[9], dit Chojiro en ôtant
le couvercle de son bol de riz.

– *Itadakimasu*, répondit Nijimi.
Kumiko marmonna. Nijimi avait préparé
du poisson et des légumes avec une sauce
vinaigrée et quelques brochettes
de poulet frit.

– Tu as passé une bonne journée ?
demanda Nijimi à son mari.
Le samedi, Chojiro se rendait au *dojo*, la salle
où on pratique les arts martiaux.

– Oui. J'ai fait des progrès en judo. Et vous ?
J'imagine que vous avez reçu Nono
et Miwa ?

– Oui... Et comme tu t'en doutes
sûrement, cette langue de vipère qui
est hélas ma belle-sœur a trouvé le
moyen de critiquer l'éducation que nous

---

9. Itadakimasu *(en japonais) : bon appétit.*

donnions à notre fille. Et par la même
occasion, elle en a profité pour me
dire qu'elle avait été invitée à dîner par
Bukko. Il paraît que tu es un mauvais fils.

Chojiro haussa les épaules. Nijimi prenait la
situation avec humour. Mais lui ne vivait pas
très bien les choses. C'était dur de savoir que
son propre père n'était pas d'accord avec ses
choix. Chojiro avait toujours été respectueux
des traditions, il avait toujours suivi l'avis
de Bukko, il avait toujours été obéissant...
Il avait abandonné ses propres rêves de
devenir peintre pour reprendre l'usine.
C'était injuste d'être traité de mauvais fils.

– Ne t'inquiète pas autant, conseilla
Nijimi. Le temps arrange tout. Tu verras.
Dans quelques jours, Bukko t'aura
pardonné d'avoir refusé de l'écouter.
Et puis, quand Kumiko sera devenue une
grande artiste, il sera fier de raconter à

tout le monde que c'est sa petite-fille !
N'est-ce pas, Kumiko ? Kumiko ?

– Et si je ne le suis pas ? répondit Kumiko
sur un ton agressif.

– Bien sûr que tu seras célèbre !
Grâce à l'Académie Bergström !

– Pas ça ! s'écria Kumiko, encore plus
violemment. Et si je ne suis pas la petite-
fille de Bukko !

Ses parents la regardèrent, stupéfaits.

– Mais... de quoi parles-tu ? demanda
Nijimi.

Les larmes montèrent dans les yeux
de Kumiko.

– Est-ce que... Est-ce que c'est vrai que
j'ai été adoptée ?

Nijimi resta muette. D'un mouvement lent,
Chojiro posa la paire de baguettes à côté de
son bol de riz.

– Qui t'a dit ça ?

– Miwa… murmura Kumiko dans un sanglot.

La surprise passée, Nijimi se laissa aller à la colère.

– Facile de deviner d'où ça vient ! Maho ! Cette espèce de… démon en kimono de soie !

– Nijimi, tais-toi, ordonna Chojiro.

Il se tourna vers Kumiko et posa la main sur la sienne.

– Oui, c'est vrai. Nous t'avons adoptée.

Kumiko retira sa main.

– Pourquoi ? Pourquoi vous ne me l'avez jamais dit ?

– C'est difficile à expliquer… commença le père de Kumiko.

– Pas du tout ! le coupa Nijimi. Et je ne me tairai pas ! Kumiko est assez âgée pour comprendre que les adultes aussi se trompent et font des erreurs. Nous ne sommes pas parfaits… Moi, je ne voulais pas qu'on te cache la vérité. Nous avons obéi à Bukko, comme d'habitude ! Ton grand-père pensait que c'était mieux. Mieux pour qui ? Pour lui ! Alors, nous avons fait semblant… semblant que tu étais bien une fille de la noble famille des Matsuda. J'ai honte. Parce que nous t'avons causé de la peine.

Nijimi baissa la tête et soupira.

– Pardon… Je ne voulais pas crier. Mais j'ai gardé toute cette histoire trop longtemps sur le cœur. Pendant des années, nous avons prié et offert des cadeaux aux dieux *Kami*, rien n'y faisait… Nous ne pouvions pas avoir d'enfant. Mais les dieux nous avaient tout de même entendus. Tu es un don du ciel, Kumiko. La première fois que je t'ai vue, j'ai failli m'évanouir de bonheur ! Tu étais

si belle que nous t'avons appelée Kumiko,
« fille à la beauté éternelle ».

– Nous t'aimons plus que notre propre
vie, dit Chojiro d'une voix brisée.

– Vous m'avez menti ! s'écria Kumiko.
Et ça, c'est dur à avaler !

– Nous avions décidé de tout te
raconter quand tu serais plus grande,
répondit Nijimi. Le moment est venu
plus tôt que prévu. Peut-être que c'est
aussi bien.

– Qui ? Mes… c'est… bégaya Kumiko.
Mes parents… Qui…

Les mots ne sortaient pas de sa bouche
dans le bon ordre. Kumiko jeta un regard
désespéré à Nijimi.

– Qui étaient tes parents ?
Nous l'ignorons.

– C'est nous, tes parents ! s'exclama
Chojiro. C'est nous qui t'avons accueillie,

élevée… C'est nous qui t'aimons…
Kumiko essuya les larmes sur ses joues.
Elle vit l'immense chagrin sur le visage de
son père et se sentit très triste. Elle lui prit
la main.

– Je le sais, *oto-san*. Et moi aussi, je vous
aime. C'est que j'ai besoin de… Pourquoi
on m'a abandonnée ?

– Ce sont des choses qui arrivent, dit
Nijimi. Il y a des gens malades, pauvres
ou trop jeunes qui ne peuvent pas garder
leurs enfants. Il y a mille raisons !
Tu n'y es pour rien !
Chojiro sourit à Kumiko.

– Tu es un cadeau des dieux. Et demain,
je t'en donnerai la preuve.

– Quoi ? s'étonna Kumiko.
Nijimi hocha la tête.

– À cause de cet *Oni*, de ce monstre
qui me sert de belle-sœur, tu as appris

que tu étais adoptée d'une manière
bien désagréable. Je suis sûre qu'elle a
fait exprès d'en parler devant Miwa.
Elle devait se douter que la petite te le
répéterait. On ne va quand même pas
lui faire le plaisir d'être malheureux !
Alors, demain, nous ferons la fête !

– Mais je ne veux pas attendre pour avoir
une explication ! protesta Kumiko.

– Tu ne le regretteras pas, promit Chojiro.
Et puis, il faut que je téléphone
à quelqu'un d'abord.

– À qui ?

– Quelqu'un qui a quelque chose à
te donner, répondit Nijimi d'un air
mystérieux. Bon... Je crois qu'un petit
verre nous aiderait à nous remettre
de nos émotions !

Kumiko eut le droit de goûter un petit
peu d'alcool de riz. Elle eut beau poser

des questions à ses parents, ceux-ci restèrent fermes. « Demain, Kumiko ! Demain ! »

Chapitre 9

Le sanctuaire des Renards

L e lendemain, quand elle se réveilla, Kumiko sursauta en découvrant une boule multicolore collée contre son nez. Doudou Rien ! Il lui avait presque fait peur ! Kumiko s'était endormie tard, en serrant son doudou contre elle. Elle s'assit dans son lit. Elle avait l'impression de ne plus être la même personne. Qui était-elle vraiment ? Kumiko Matsuda qui habitait Kyoto et qui, jusqu'à présent, était une fille

comme les autres ? Ou... un cadeau des
dieux ? Qu'est-ce que ça signifiait ?

Elle se leva et s'habilla. Elle n'oublia pas
d'enfoncer quelques épingles dans
le portrait de Maho avant de sortir
de sa chambre.

Nijimi préparait le thé dans la cuisine.

— *Ohayo*. Tu as réussi à dormir ?

— *Ohayo*. Non, pas beaucoup.

— Moi non plus, soupira Nijimi.

— Où est papa ?

— Il est allé chercher la voiture au garage.

— Pourquoi ? On va loin ?

— Non, pas très, juste en dehors de
la ville. Mange tes tartines.

Kumiko s'étonna d'avoir faim. Les émotions,
ça creuse ! Chojiro les appela du jardin et
leur demanda de se dépêcher. La voiture
était mal garée au bas de la rue.

La ruelle était déserte. Une pluie fine

tombait. Il n'y avait pas beaucoup de circulation. Kumiko devina très vite où ils se rendaient. Elle était presque déçue.

    – C'est la route pour aller au Fushimi Inari ! Tu parles d'une surprise. On y va vingt fois par an !

Fushimi Inari était le sanctuaire – le lieu saint – réservé à Inari, le dieu du riz. L'endroit était très visité, autant par les habitants de Kyoto que par les touristes. Il fallait reconnaître que le sanctuaire était spectaculaire.

On escaladait la colline du Fushimi Inari par des allées en escaliers qui traversaient la forêt. Aux branches des arbres, les visiteurs nouaient des feuilles de papier appelées *omikuji*. L'*omikuji* est un petit morceau de papier sur lequel est écrite une prédiction, c'est-à-dire ce qui va arriver de bon ou de mauvais dans le futur. Lorsque ce qui

est annoncé est mauvais, on attache
le morceau de papier à un arbre près d'un
sanctuaire pour que les dieux combattent
le mauvais sort.

Pour remercier le dieu Inari, les gens
offraient des *torii* en bois peint de rouge
et de noir. Les *torii* sont des portails
composés de deux piliers sur lesquels
reposent deux poutres. Ils étaient tellement
nombreux qu'ils se touchaient et formaient
d'incroyables allées couvertes.

Partout, d'immenses lanternes de pierre
et de bois bordaient les chemins. Et des
dizaines de statues ! D'impressionnantes
statues de... renards – les *kitsune*. Les
renards, les messagers du dieu Inari, sont
toujours représentés assis, la queue dressée
comme s'ils étaient impatients.

Du fait de la pluie et de l'heure matinale,
il y avait peu de visiteurs, ce qui n'était pas

habituel ! Kumiko et ses parents grimpaient en silence à travers la forêt. Nijimi s'arrêta devant un imposant renard. Elle s'inclina devant lui. Kumiko ne fut pas étonnée. Sa mère montrait toujours du respect à *Kitsune*. Chojiro posa la main sur l'épaule de sa fille.

– C'est là, dit-il.

– Là quoi ? demanda Kumiko.

– J'aperçois le *Kannushi*[10] Ryuuta, annonça Nijimi.

Kumiko se retourna. En effet, un prêtre descendait vers eux. Il était facile de reconnaître un *kannushi* du sanctuaire : une jupe violette, une longue tunique blanche aux très larges manches et un chapeau noir. Kumiko cacha son amusement. Le prêtre n'avait pas oublié son parapluie ! Chojiro et Nijimi s'inclinèrent profondément pour saluer le prêtre.

10. Kannushi *(en japonais) : maître de cérémonie, sorte de prêtre de la religion shinto.*

Kumiko s'empressa de les imiter.

— Bonjour, **Kannushi** Ryuuta, dit Chojiro. Nous vous remercions infiniment d'être venu.

— C'est un plaisir pour moi. J'avais hâte de revoir Kumiko !

Kumiko fronça les sourcils. Elle regarda le prêtre attentivement. C'était un homme âgé et un peu rond, au sourire très doux. Elle était certaine de ne l'avoir jamais vu ! Ryuuta se mit à rire.

— Tu ne te souviens pas de moi, c'est bien normal ! Notre dernière rencontre remonte à environ... hum... onze ans !

— J'étais un bébé ! répondit Kumiko.

— Oui. Un tout petit bébé. C'est drôle. C'était un jour où il pleuvait comme aujourd'hui. Il était très tôt. C'est là que je t'ai trouvée. En compagnie du *kitsune*, le renard qui veillait sur toi.

Kumiko ouvrit la bouche, stupéfaite.

— Ton visage était mouillé par la pluie mais tu ne pleurais pas. Tu avais l'air très… tranquille. On t'avait laissée dans un panier. Tu n'avais qu'une couverture sur toi.

— On m'a abandonnée, ici ! s'exclama Kumiko. Comme… comme ça ?

Ryuuta acquiesça. Avec les autres prêtres, ils avaient fouillé tout le sanctuaire. Ils avaient cherché qui avait déposé un bébé au pied de la statue. Personne n'avait rien remarqué. Même la police n'avait découvert aucune piste. Le mystère restait entier.

— Quelqu'un t'a confiée au dieu Inari, dit Ryuuta. *Kitsune* était là pour te protéger. Il sera toujours à tes côtés.

Le prêtre déplia ses gigantesques manches. Kumiko s'aperçut alors qu'il tenait un sac en plastique contre lui.

– Voici la seule piste que nous ayons, expliqua-t-il. C'était au fond du panier. Tu étais couchée dessus !

Le prêtre lui tendit le sac. Kumiko le prit et n'osa plus bouger.

– Cela t'appartient, ajouta Ryuuta. Je l'ai gardé pour toi toutes ces années. Maintenant, je te le rends. J'ai donc fini le travail dont m'avait chargé Inari. La boucle est bouclée.

Le prêtre s'inclina légèrement et la famille Matsuda lui rendit son salut en le remerciant longuement. Ryuuta commença à remonter l'escalier. Puis il se retourna pour dire avec son bon sourire :

– J'espère que tu me rendras visite de temps en temps, fille du renard !

Chapitre 10

Le carnet de dessins

Nijimi avait tenu parole : le soir même, ils fêtèrent tous les trois la rencontre de Kumiko et du prêtre. Pour l'occasion, elle avait appelé un restaurant coréen qui leur avait livré un délicieux assortiment de petits plats épicés.

– Il y a du *kimchi* ? demanda Kumiko, à plat ventre sur le *tatami*.

Kumiko avait un faible pour le *kimchi*, du chou mariné à la coréenne.

– Bien sûr, répondit Nijimi.

Chojiro était agenouillé à côté de sa fille.
Ensemble, ils feuilletaient pour la troisième
fois le gros livre à la couverture en cuir
rouge. C'était un carnet de dessins à l'encre
de Chine. Il y avait surtout des paysages,

des montagnes dans les nuages ou sous la neige, des rivières calmes et des cascades fumantes, des arbres solitaires et des forêts de pins. Il n'y avait que deux exceptions : des iris et des pivoines d'une délicatesse infinie et un oiseau sur une branche de prunier en fleur.

– Pourquoi vous avez laissé le carnet de dessins au *Kannushi* Ryuuta ?

– Nous connaissons le prêtre Ryuuta depuis longtemps. Il nous a soutenus quand nous avons su que nous ne pourrions pas avoir d'enfant. Il nous a toujours dit que les dieux ne nous oublieraient pas. Et quand il t'a trouvée devant la statue de *Kitsune*, il a compris que c'était la réponse à nos prières. Le *Kannushi* Ryuuta est très respecté et il a tout arrangé pour que nous puissions t'adopter. Nous avons une totale confiance en lui.

– Nous avons vu l'un des astrologues du sanctuaire, ajouta Nijimi. Il nous a conseillé de ne pas garder le carnet de dessins qui était dans ton panier parce qu'il apporterait le malheur chez nous. Ça nous a beaucoup attristés. Alors, nous nous sommes adressés au prêtre pour avoir son avis. Il a parlé avec l'astrologue et ils sont tombés d'accord. Le mauvais sort serait écarté si le carnet restait dans le sanctuaire.

– Mais... je l'ai maintenant ! s'exclama Kumiko.

– Le prêtre Ryuuta te l'a dit lui-même, la rassura Chojiro. Il a fini le travail dont l'avait chargé le dieu Inari. Pour nous, il a prié les dieux pendant des années. À chacune de nos visites au Fushimi Inari, nous avons offert du riz et de l'eau à *Kitsune* pour le remercier. Nous avons fait tout ce qu'il fallait. Il n'y a plus de danger.

– Je sais enfin pourquoi tu aimes tant
les renards, *okaa-san* ! dit Kumiko
en riant.

– Et pourquoi nous t'avons inscrite au
cours de dessin de Maître Yoshifumi,
répondit Chojiro. Pour moi qui voulais
être peintre, c'était un signe des dieux
que tu sois arrivée dans notre famille
avec un cahier de dessins !

Kumiko ferma le gros carnet et contempla
la couverture.

– Il a l'air vieux, remarqua-t-elle. Le cuir
est craqué et un peu noir.

Elle l'ouvrit de nouveau. Certaines feuilles
de papier étaient déchirées sur le bord.

– Oui, c'est vrai, dit Nijimi. Le *Kannushi*
Ryuuta pense qu'il a au moins cent ans.

– Cent ans ! s'exclama Kumiko.
Alors, les dessins n'ont pas été faits
par un de mes parents !

– Peut-être un arrière-grand-père,
supposa Chojiro. En tout cas, c'était
un merveilleux artiste.

Kumiko s'arrêta sur la peinture de
la branche de prunier en fleur. C'était
la seule page sur laquelle on avait écrit
quelque chose. Elle lut à mi-voix les deux
courtes phrases.

– « *Pensant à toi, je suis comme la pleine
lune, dont nuit après nuit décroît l'éclat.* »
Je ne suis pas sûre de comprendre.

– Une lune qui décroît diminue nuit
après nuit, expliqua Chojiro. Elle est

de moins en moins lumineuse, jusqu'à ce qu'elle disparaisse... Ce petit poème exprime le chagrin de quelqu'un qui est séparé de celui ou de celle qu'il aime.

– Les plats sont chauds, annonça Nijimi. *Itadakimasu* !

Plus tard dans la soirée, Nijimi et sa fille se retrouvèrent seules dans la chambre de Kumiko. Et elles s'amusaient bien avec la boîte d'épingles !

– Tiens ! s'écria Nijimi. Prends ça !
Elle enfonça son épingle dans l'œil du portrait de Maho. Kumiko se mit à rire.

– Je suis contente de partir à l'Académie Bergström. Je ne verrai plus ma tante !

– Je devrais envoyer une lettre à Maho pour la remercier d'être une langue de vipère ! plaisanta Nijimi. Finalement, elle nous a rendu service. Mon cœur est plus léger sans ce secret qui pesait si lourd.

J'espère que tu nous pardonneras de t'avoir caché la vérité.

– C'est déjà fait ! Pour moi, vous êtes mes parents. Je vous aime et vous m'aimez, c'est le plus important, non ? C'est facile d'accepter qu'on a été adoptée, mais c'est dur d'apprendre qu'on a été abandonnée... Et de ne pas savoir pourquoi.

Nijimi caressa les cheveux de Kumiko.

– Hélas, nous n'avons aucune réponse à te donner.

Kumiko se frotta les yeux. Elle était épuisée. Elle devait se lever tôt pour aller à l'école. Elle avait besoin de dormir après toutes ces émotions ! Nijimi avait du mal à quitter sa fille. Elle se décida à partir quand Kumiko se coucha en bâillant. Chojiro passa pour dire que, demain, il accompagnerait Kumiko un bout de chemin. La vie reprenait son cours normal. Pourtant, elle ne serait plus jamais comme avant.

De son lit, Kumiko aperçut un croissant de lune au travers des nuages. Sa gorge se serra. Elle se sentait vidée comme si elle avait couru un marathon.

En s'endormant, elle murmura dans une des grandes oreilles de Doudou Rien :

> – *Pensant à toi, je suis comme la pleine lune,*
> *dont nuit après nuit décroît l'éclat...*

VOCABULAIRE

Bento (en japonais) :
repas préparé à la maison le matin
pour être mangé à l'heure du déjeuner
lorsqu'on est à l'extérieur.
Il est transporté dans une boîte
à compartiments.

Bunkasai (en japonais) :
sorte de grande kermesse qui a lieu
dans toutes les écoles japonaises.

Dojo (en japonais) :
salle où on pratique les arts martiaux.

Hina-matsuri (en japonais) :
fête des Poupées qui a lieu au Japon
le 3 mars. Ce jour est consacré
aux petites filles.

Ikebana (en japonais) :
art japonais de l'arrangement des fleurs.

Itadakimasu (en japonais) :
bon appétit.

Kami (en japonais) :
esprits et dieux du shinto,
la principale religion du Japon.

Kannushi (en japonais) :
maître de cérémonie, sorte de prêtre
de la religion shinto.

Kimchi (en japonais) :
chou mariné à la coréenne.

Kitsune (en japonais) :
renard.

Konnichiwa (en japonais) :
bonjour (mot utilisé
seulement l'après-midi).

Kumiko (en japonais) :
prénom qui signifie
« fille à la beauté éternelle ».

Obi (en japonais) :
large ceinture en soie,
mesurant environ 3 mètres.

Ohayo (en japonais) :
bonjour (mot utilisé seulement le matin)

Okaa-san (en japonais) :
Maman, mère. Au japon, on ajoute
le mot *san* aux noms propres.
C'est une formule de politesse.

Omikuji (en japonais) :
petit morceau de papier sur lequel
est écrite une prédiction, c'est-à-dire
ce qui va arriver de bon ou de mauvais.

Oni (en japonais) :
esprit malfaisant qui apporte
les maladies et le malheur. Les *Oni*
représentent tout ce qui est méchant et
empêche le bonheur des personnes.

Origami (en japonais) :
art du papier plié.

Oto-san (en japonais) :
papa, père. Au japon, on ajoute
le mot *san* aux noms propres.
C'est une formule de politesse.

-san (en japonais) :
Au japon, on ajoute le mot *san* aux noms
propres. C'est une formule de politesse.

Sensei (en japonais) :
maître.

Tatami (en japonais) :
tapis de paille de riz tressée.

Tengu (en japonais) :
monstres mi-hommes, mi-oiseaux.

Torii (en japonais) :
portail composé de deux piliers
sur lesquels reposent deux poutres.

Zori (en japonais) :
sandales qui ressemblent à des tongs.

LE KIMONO

Le kimono est le vêtement traditionnel japonais des hommes comme des femmes. Il est apparu il y a plus de mille ans en s'inspirant de la mode chinoise. De nos jours, il se porte uniquement lors des grandes occasions, les Japonais s'habillant à l'occidentale, c'est-à-dire comme nous.

Le kimono est une robe en forme de T, tombant jusqu'aux pieds et maintenue en place par une ceinture nouée dans le dos, le *obi*. Les manches du kimono sont très longues, parfois elles touchent même le sol !

© Estelle Hood/Istock

POUR EN SAVOIR PLUS...

Alors que le kimono féminin est très coloré et plein de motifs, le kimono masculin est plus sombre et souvent uni.

Le choix d'un kimono est très important : il indique si une personne est riche ou pas, si elle est mariée ou non, son âge, le type d'événements pour lequel elle le met...

Mais les kimonos coûtent très cher ! C'est pour cela que, depuis quelques années, certains Japonais achètent plutôt sa version simplifiée : le *yukata*, un léger kimono d'été.

© Kim/Fotolia

LA CALLIGRAPHIE

La calligraphie est l'art de bien former les signes d'écriture. Presque tous les pays qui pratiquent l'écriture ont développé cet art, mais certains plus que d'autres.

© Agence les Z.

La calligraphie japonaise consiste à écrire les idéogrammes au pinceau et à l'encre. Les idéogrammes sont les signes d'écriture de certaines langues, comme le japonais et le chinois. La calligraphie se pratique depuis plus de trois mille ans. Elle vient de Chine et a été introduite au Japon avec l'écriture chinoise.

Pratiquer cet art est tout d'abord un signe de bonne éducation. Les Japonais pensent que cela apporte également une longue vie et la maîtrise du corps et de l'esprit.

Les Japonais considèrent aussi que les signes d'écriture apportent une énergie indispensable à la vie. C'est pour cela que l'on trouve toujours des inscriptions dans les maisons japonaises. Ces inscriptions se situent également sur les porte-bonheur, sur les cartes de vœux, etc.

La calligraphie reste aujourd'hui très présente dans la vie des Japonais !

L'ACADÉMIE BERGSTRÖM

Les Kinra Girls sont **5 filles** venues des **4 coins du monde.**

Kumiko, la Japonaise, **Idalina,** l'Espagnole,
Naïma, l'Afro-Américaine, **Rajani,** l'Indienne,
et **Alexa,** l'Australienne, se rencontrent
à l'Académie Bergström, un collège international
qui accueille des élèves talentueux du monde entier.

Ces 5 filles aux cultures si différentes vont vivre ensemble des moments exceptionnels.

Au fil de leurs multiples aventures, elles vont s'ouvrir au monde, découvrir les **cultures** des autres pays, apprendre à respecter leurs **différences** et devenir inséparables.

SUIS LES AVENTURES DES KINRA GIRLS

 LE SECRET DE KUMIKO
k

 IDALINA CHANTEUSE DE FLAMENCO
i

 NAÏMA ET LE CIRQUE DE NEW YORK
n

 RAJANI VEUT DANSER
r

 LE CODE SECRET D'ALEXA
a

 LA RENCONTRE DES KINRA GIRLS
1

 LE CHAT FANTÔME
2

 LES GRIFFES DU LION
3

 QUI A PEUR DES FANTÔMES ?
4

 DESTINATION JAPON
5

 LA CLÉ D'OR
6

 PREMIER AMOUR
7

 LE ROYAUME DES OMBRES
8

 SUR LA PISTE DU TRÉSOR
9

 CARTES POSTALES DU MONDE
10

 LE DRAGON BLEU
11

 VOYAGE EN PAYS HANTÉ
12

 LE PALAIS DE LA LUNE
13

 LE COYOTE S'EN MÊLE
14

 UN AMOUREUX SECRET
15

 LE TIGRE ET LA PRINCESSE

+ 1 HORS SÉRIE

DÉCOUVRE AUSSI LES ACTIVITÉS CRÉATIVES DES KINRA GIRLS

Pour décorer
courriers et cahiers

Pour t'amuser
pendant des heures

Pour toute
l'année scolaire

À emporter
partout

Pour créer tes looks
préférés

Pour y écrire
tes secrets

Crée tes
bracelets brésiliens !

Une belle
boîte à garder
précieusement

Lili Chantilly
a 11 ans et rêve de devenir styliste...

Elle a une tonne d'idées, de l'or dans les doigts
et vient d'entrer en sixième à l'École Dalí.

Elle a un père grand reporter, qu'elle adore mais
qu'elle ne voit pas souvent. Une nounou aimante,
qui cuisine des plats marocains sensationnels.
Un ami pas ordinaire sur lequel elle peut toujours
compter. Et un grand vide dans le cœur,
parce qu'elle n'a jamais connu sa maman.

*Découvre notre Lili aussi drôle que têtue
et suis-la au fil de ses aventures...*

Tome 1

Depuis toute petite,
Lili adore dessiner, créer
et veut devenir styliste.
Mais son père s'y oppose...

Tome 2

Lili entre en sixième au collège Dalí,
une école d'art. Mais la rentrée
n'est pas de tout repos...

Tome 3

Un défi est lancé à la classe de Lili :
organiser un défilé de mode !

Tome 4

Lili passe beaucoup de temps
aux écuries, mais les pestes
ne la laissent jamais tranquille…

Tome 5

Le père de Lili vient passer
quelques jours avec sa fille.
Mybel, de son côté, monte un clan
de style kawaï contre Lili…

Tome 6

De drôles de bruits réveillent
les élèves de l'École Dalí
en pleine nuit…

Tome 7

De retour chez elle
pour quelques jours,
Lili fait une drôle de rencontre…

Rejoins-nous sur

www.lilichantilly.com

Tome 8

À PARAÎTRE
(juin 2015)

ISBN : 9782809646023.
Dépôt légal : septembre 2011 .
Imprimé en Chine.

Textes et illustrations reproduits avec l'aimable autorisation de Corolle.

Mise en page : Isabelle Southgate.
Mise au point de la maquette : Cédric Gatillon.
Roc Prépresse pour la photogravure.

Nous tenons à remercier pour leur contribution à cet ouvrage :
M. Bellamy-Brown ; C. Bleuze ; M. Boucher ; J.-L. Broust ; S. Chaussade ;
N. Chapalain ; A.-S. Congar ; M. Dezalys ; E. Duval ; A. Le Bigot ; B. Legendre ;
É. Leplat ; L. Maj ; F. Malbert ; K. Marigliano ; A. Molac ; L. Pasquini ; C. Petot ;
C. Schram ; M. Seger ; V. Sem ; S. Tuovic ; K. Van Wormhoudt ; M.-F. Wolfsperger.